Coleção Horror e Mistério

VERMELHO MARINHO

O Atalho do Medo

Autor: J. F. Dell
Tradução de Steve Owen

Título Original: Shortcut of Fear
Copyright da tradução © 2014 J. F. Dell

Autor
J. F. Dell

Tradução
Steve Owen

Editor-chefe
Tomaz Adour

Revisão
Equipe Vermelho Marinho

Capa
Anderson Delfino

Diagramação
Marcelo Amado/Página 42

D357s

Dell, J. F.
        Atalho do medo / J. F. Dell ; tradução de Steve Owen. – Rio de Janeiro: Vermelho marinho, 2014.
        64 p. : 15 cm. – (Horror e Mistério)

        Tradução de: Shortcut of fear
        ISBN: 978-85-8265-029-5

        1. Ficção norte-americana – Terror. I. Owen, Steve. II. Título.

        CDD-813

EDITORA VERMELHO MARINHO
Rua Visconde de Silva, 60/casa 102,
Botafogo, Rio de Janeiro/RJ, 22.271-092.

"... A fera que te faz gelar o sangue de horror não permite que ninguém passe por aqui impunemente... É uma criatura tão má e tão contundente, que jamais consegue saciar o enorme apetite... sente até mais fome a cada vez que come."

A divina comédia – Dante.

Passava das vinte e três horas, pelo menos foi o que imaginou Toni Voler, sentado no banco traseiro do Ford 86, enquanto atravessavam um trecho deserto da estrada do Oeste. Ao seu lado estava Lídia, olhando desatenta para a estrada, enquanto mascava um chiclete interminável. As longas pernas, as coxas à mostra e o perfil da loura fizeram Toni pensar em como ela era gostosa. No banco da frente estavam Vince Lume e Denis Coser, ambos em silêncio já há algum tempo.

Toni mexeu-se no banco, meteu a mão por dentro da jaqueta de couro e tirou um isqueiro descartável de modelo antigo que sempre levava com ele, um *souvenir* tirado de alguma vítima; observou-o por um instante, a superfície de aço polido, a tampa que se abria com um *crick* e um cheiro de fluído. Na outra mão segurou o maço de cigarros. Olhava para a estrada de modo impaciente. Todos viajavam em silêncio.

Lídia avançou o corpo e encostou-se no banco da frente onde estava Vinci. Soprou em seu ouvido e lentamente enfiou a mão pela lateral, abrigada pelo interior escuro do carro, e correu os dedos pelas coxas até alcançar os botões da calça dele, enquanto Denis e Toni estavam distraídos observando a estrada. Lídia tocou-o por sobre a roupa. A mão quente dela contrastava com a temperatura no interior do carro que, desde que estavam naquela estrada, descera alguns graus.

Coleção Horror e Mistério

Vinci retesou-se com o toque. Há algum tempo os dois sentiam-se atraídos, mas mantinham a relação em segredo. Vinci procurou afastar a mão dela. A expressão de Lídia era de quem estava se divertindo. Então, ela percebeu o olhar de Denis, que a observava pelo espelho interno e voltou a recostar-se no banco. Cutucou Toni, ele entendeu e passou seu cigarro para ela, que puxou uma tragada funda. A chama avermelhada da brasa clareou levemente seu rosto, denunciando a roupa negra de couro sintético, seu rosto, cabelos e os olhos amendoados. Era jovem e muito bonita, como a maioria das garotas aos vinte anos. Toni comprimiu o botão do seu relógio de pulso, que indicou as horas com uma luz esverdeada. Lídia voltou a distrair-se olhando pelas janelas do carro, embora lá fora só a escuridão predominasse.

– Ei! Denis, já passa das onze e há pelo menos quarenta minutos estamos rodando nesta estrada e eu não vi a entrada para o tal atalho – a voz de Toni quebrou o silêncio e ainda que tentasse se controlar, não escondia a impaciência que estava sentindo. Sempre fora um sujeito irrequieto, nervoso, costumava olhar o tempo todo por sobre os ombros, ajeitando a gola da camisa com um movimento de pescoço, que todos sabiam, não passava de um "tique".

Denis limitou-se a olhar pelo espelho retrovisor interno do carro, uma faixa pequena do espelho, o suficiente para mostrar seus olhos que, como sempre, estavam frios, melancólicos. Era um sujeito de gestos lentos, quase mecânicos, o rosto vincado por sulcos e linhas na testa que denunciavam uma eterna preocupação. Não respondeu. Empurrou o acendedor de cigarros para dentro enquanto dirigia e, por um instante, desviou seu olhar dos olhos de Toni, no espelho interno do carro. Cutucou Vinci, que estava sentado ao seu lado e pediu um cigarro.

Vinci fingia dormir, depois de livrar-se das mãos de Lídia, os olhos fechados e um dos joelhos apoiados contra o painel do carro. Mudou preguiçosamente de posição, despertou, esfregou os olhos, pegou um cigarro num dos bolsos de sua jaqueta e passou a Denis. Lá fora a sinalização da estrada passava rapidamente, "os olhos de gato" brilhando contra os faróis do Ford.

— Essa coisa está me deixando nervoso — insistiu Toni, para os outros dois sentados no banco da frente.

— Relaxe, cara! — Toni ouviu Lídia dizer-lhe de modo impaciente. Fez uma careta e calou-se por um instante, tentando controlar-se.

— Eu não estou gostando nada disso... — ruminou Toni, mas todos ouviram.

— O que você quer que a gente faça, fabrique um atalho, Toni? — perguntou Denis, demonstrando irritação com a insistência do outro. Afinal, era a segunda vez que se desentendiam naquela noite. O primeiro desentendimento ocorrera no Bar do Nick, uma conversa sobre a necessidade de cada um controlar a própria boca e não falar demais. Foi Vinci quem os acalmou, enchendo os copos de cerveja gelada e contando uma piada idiota qualquer. Ele era o mais velho do grupo, com vinte e sete anos, e o mais inteligente de todos.

— Calma, pessoal! Vocês dois vão começar novamente? – Vinci interferiu, achando que aquela situação só poderia agravar as coisas. Ele também estava cansado, há horas rodavam procurando o tal atalho que os levaria para um lugar seguro. Em sua cabeça, muito mais que os quarenta minutos de Toni haviam se passado e ele, por questão de segundos, não teria feito a mesma pergunta. – Afinal, pensando bem, Denis, acho que o Toni tem razão – iniciou Vinci, apoiando-se no banco com as mãos quase às costas de Denis. Falou alternando-se de um para outro.

Enquanto isso, Lídia ergueu as pernas por sobre o banco dianteiro. Suas coxas saltaram fora da saia minúscula e os três olharam-na. Ela fez um gesto de descaso e virou-se para a janela do carro, estava entediada.

— Desculpe, meninos, mas eu estou me sentindo espremida neste lugar. – Sorriu para eles e em seguida fez um biquinho provocante com os lábios para Denis, que era o menos animado.

— Como eu ia dizendo... – continuou Vinci – acho que o Toni tem razão, já faz um bocado de tempo que passamos pelo tal posto da SHELL, e embora eu não entenda porra nenhuma de mapas, devo dizer que havia sinalização de uma estrada secundária nos próximos cinco quilômetros.

— Vocês não acham, meus gatos, que nós já passamos pelo tal atalho e estamos na maior bobeira nesta merda desta estrada? – provocou Lídia. Recolheu as pernas, mas sem a preocupação de esconder as partes do corpo à mostra, pelo jeito ela achava divertido provocá-los com seus modos.

– Talvez ela tenha razão – disse Vinci para Denis, esperando ouvir alguma coisa deste, que até então estava a cada instante mais calado.

– Ela tem razão! Lídia, meu bem, pela primeira vez esta sua cabecinha tem razão – disse Toni, agarrando o rosto de Lídia com força como se fosse dar-lhe um beijo, até ela empurrar suas mãos com violência para o lado.

– Ora, não me encha o saco, cara! – Lídia cuspiu as palavras e voltou a olhar para a estrada.

– Tá certo! – foi o que Denis conseguiu dizer, finalmente. Pelo timbre de sua voz, estava cansado. – Na primeira oportunidade que encontrar uma saída eu contorno e vamos voltar, essa coisa toda já encheu meu saco também.

– O que me preocupa é o tempo. A esta hora já devem ter achado o corpo da velhota – Lídia comentou, olhando para os três com o canto dos olhos. Havia em suas palavras muito de ironia e provocação.

– Cale a boca, sua maníaca! – gritou Denis, fuzilando-a através do espelho interno do carro.

Lídia deu uma gargalhada, os seios pularam dentro do corpete negro, cheio de fios brancos entrelaçados.

– Acho pouco provável – disse Vinci, desconsiderando a provocação de Lídia e colocando calma naquela conversa. – Apesar do movimento, ninguém passa naquela estrada depois das vinte três horas...

– A menos que algum caminhoneiro pare para urinar e o faça em cima do corpo da velha – provocou Denis.

— Acho que deveríamos ter jogado a velhota num rio ou coisa assim — considerou Toni.

— Qual é, pessoal? A ideia era essa mesma. Alguém tem que encontrar a velha, senão, como terão certeza de que ela está morta? — Denis grunhiu, enquanto ocupava uma das mãos para limpar o vidro para-brisa, que teimava em ficar embaçado nos últimos minutos.

— Pensando bem, se demorar um pouco, o marido vai ganhar tempo. Só tem que fazer a polícia acreditar mesmo em sequestro... — Vinci ponderou. Procurava não agitá-los, já tinham passado por situações como aquela e ele sabia muito bem até onde cada um poderia ir.

— Estou me lixando pelo que eles vão pensar. — Toni cuspiu as palavras com raiva, enquanto apertava o nó dos dedos, fazendo-os estalar. Lídia limitou-se a olhá-lo e rir do seu nervosismo. — Vamos encontrar logo esse maldito atalho e nos meter nele até as coisas esfriarem. Vocês querem saber? Eu não estou gostando nadinha disso aqui.

— Calma, baby. Vem pro meu colinho que eu relaxo você. — Lídia aproximou-se de Toni e dessa vez foi ele quem a empurrou com força para o lado. Em seguida tornou a olhar para o relógio digital em seu pulso, quinze minutos haviam se passado desde que ele começara a ficar ansioso.

— Acontece que a coisa foi combinada para dar a impressão de assalto e sequestro... — Vinci falou para os três, como se eles nada soubessem.

— Lá vêm você com esse papo de novo; afinal, depois de feita a coisa, o problema não é mais nosso. Que importância tem para nós se o marido vai dizer que a velha morreu do coração, foi assassinada ou sequestrada? Eu quero que todos se danem! – gritou Toni.

– Calma, gente! Estamos todos cansados. O negócio era bom, bom dinheiro foi o que todos achamos. Tudo bem que não saiu do jeito que planejamos. – Os olhos de Vinci cruzaram com os de Toni, todos sabiam o que ele tinha feito para estarem ali. – Agora vamos tentar relaxar um pouco, legal? – concluiu e então se voltou para a frente do carro, onde os faróis refletiam-se numa neblina espessa que só piorava a visibilidade da estrada.

Denis procurava manter limpa a face interna do para-brisas, tirando com as próprias mãos a condensação que se formava no interior do vidro. Vinci não pôde deixar de notar que ele usava seu anel de ouro com signo no dedo mínimo de uma das mãos. Os faróis foram baixados e Denis reduziu um pouco a velocidade. Lá fora, a neblina tomara a forma de uma fumaça branca e espessa.

– E agora, essa! Uma desgraçada neblina para atrapalhar tudo – rugiu Toni, vendo a dificuldade de Denis e Vinci para guiar o Ford pela estrada.

– Calma, Toni! O Vinci tem razão, melhor a gente relaxar. Que tal um baseadinho? – Denis retirou um cigarro enroladinho de algum lugar do painel e mostrou a Toni.

– Eu quero, *Baby* – Toni disse a Denis.

Denis ergueu o "baseado" até os lábios e acendeu-o, o brilho da chama denunciou os seus cabelos escorridos como um roqueiro e o rosto anguloso. Deu uma tragada funda, prendendo a respiração e fechando levemente os olhos, por um momento voltara a relaxar.

— Ei! Não vá nos jogar fora da estrada – Vinci alertou Denis.

Em seguida Denis passou o "baseado" para Vinci, que recusou a oferta e, antes mesmo que alguém dissesse, puxou uma garrafa metálica do bolso do paletó e tomou um gole de uísque. Passou a Lídia, que recusou com um gesto. Por um tempo ficaram calados. Denis passou o baseado por sobre a sua cabeça até as mãos de Toni, sentado logo atrás dele no Ford. Toni estava prestes a levar o cigarro à boca, quando pulou no banco.

— Diminua, Denis! Diminua a velocidade um pouco – Tony gritou.

Denis deu uma freada brusca, com os olhos fixos no retrovisor externo à espera de um veículo qualquer que viesse logo atrás deles, mas nada aconteceu.

— O que houve? – perguntou Denis. – Você quase mata a gente de susto, cara!

— Lá atrás, eu tenho certeza de ter visto uma placa de atalho! – Toni estava excitado.

— Tem certeza? – perguntou Vinci, desconfiado.

— Lá atrás, eu tô falando, caras! Eu sei que vocês pensam que eu estava distraído, mas eu juro que vi! – Toni insistiu e até Lídia deu de ombros, acreditando que ele poderia mesmo ter visto algo.

Toni era um sujeito magro e alto, vestia sempre a mesma jaqueta de couro surrada e jeans que espremiam suas pernas; mantinha o cabelo raspado nas laterais com um corte punk e brincos com alargadores nas orelhas; algumas tatuagens cobriam boa parte de seu corpo. Naquele momento ele usava um colete negro por baixo da roupa.

– Não sei, não... – ponderou Vinci. – Eu estou com os olhos pregados nesta porra de estrada faz um tempão e não vi nenhuma placa, muito menos com um sinal de atalho.

– Talvez o Toni tenha razão – considerou, olhando diretamente para Denis. – Essa neblina confunde a gente e depois você estava preocupado em manter limpo esse vidro, pode ter perdido a tal placa ou sei lá o quê.

– Ou por estar chapado, *viajando* – provocou Lídia.

– Cale a boca! – Denis cuspiu as palavras. Não gostava de Lídia e há muito desconfiava que ela e Vinci tivessem um caso, o que não era bom para o equilíbrio do grupo. Quando tudo terminasse, ele tiraria aquilo a limpo.

Denis olhou novamente pelo retrovisor externo do carro, lá fora a escuridão e a neblina mergulhavam tudo numa confusão de formas. Seus olhos buscaram em vão divisar alguma coisa entre as pistas.

– Tá legal, eu vou dar a ré no carro. – Dizendo isto, Denis abaixou o vidro da porta do seu lado e meteu a cabeça para fora do Ford.

Na escuridão, as luzes traseiras aumentaram de intensidade. A bruma envolvia o carro como uma imensa gaze branca e fina, pequenas linhas mais densas se formavam, sugerindo uma teia suave. O carro guinou para o acostamento, arrancando e espalhando cascalho do chão, a fumaça branca de tração escapuliu pelo cano de descarga do Ford. Ainda com a cabeça projetada para fora, Denis se deu conta do quanto estava frio lá fora, o ar gelado afastou o efeito da droga, tornando-o lúcido. O vento gelado castigava seu rosto. Entrou pela janela aberta e roubou o calor do interior.

Lídia arrepiou-se e abraçou as próprias pernas. Vinci e Toni fecharam suas jaquetas. A cabeça de Denis ficou ligeiramente úmida e gotas minúsculas aderiram-se aos seus cabelos, tornando-os esbranquiçados, grisalhos; foi o pensamento de Lídia ao olhar para ele. Por um momento, ela também recordou a cabeça da velha caindo para o lado. Um filete fino de sangue, muito menos intenso do que ela imaginava que deveria ser, escorrendo pela têmpora esquerda da mulher, um *"acidente de serviço"*. Foi como Toni classificou sua ação atrapalhada, que resultou num disparo acidental quando a mulher resistiu a ser levada. Lídia estava com ele.

Até então era para ser apenas um sequestro arranjado. Vinci tratou o plano com o marido, Denis cuidaria de dirigir o carro e ela e Toni se passariam por uma casal enviado pelo marido. A mulher recebera ela e Toni em seu apartamento, afinal, um casal provoca menos suspeitas. Uma mulher rica, um marido metido com dívidas de jogo, com uma amante mais jovem e precisando de dinheiro. Apresentaram-se como sendo do escritório de advocacia, trazendo uma proposta que sugeria uma reconciliação, por parte do marido, entre o casal. Foi assim que eles passaram pela segurança e entraram no prédio. Lídia recordava que na pasta que carregavam havia uma arma que serviria apenas para intimidar a mulher, nem deveria estar carregada. Não queriam matá-la. Depois de dominá-la, os dois desceram com ela pelo elevador de serviço até a garagem do prédio; pretendiam tirá-la dali o mais rápido possível.

Só a presença inesperada do segurança pessoal da mulher não estava nos planos. Se não fosse por ele, desconfiado e abordando Toni na saída, tudo teria saído quase perfeito. Mas o segurança tentou detê-los. Toni nunca fora o mais equilibrado dos quatro, era por certo o mais nervoso, principalmente em se tratando de apertar gatilhos e manejar armas. Disparou contra o segurança, que caiu na garagem do prédio. Não sabiam se ele estava morto ou apenas ferido. A mulher descontrolou-se e começou a gritar, ameaçando atrair mais gente. Lídia se lembrava de como estavam assustados e confusos, tentando colocar a mulher no interior do porta-malas.

Foi quando aconteceu e então tudo começou a se movimentar muito lentamente, como num *clip* musical feito em *slow motion*, como se não houvesse mais sons; as bocas moviam-se muito devagar, gritos eram percebidos por gotículas de saliva escapando das bocas dos dois, luz e movimento lentificados, o quadro como um instantâneo fotográfico, seus gestos pareciam levar um tempo muito longo para se completar.

A realidade só voltou a tomar forma quando a cabeça da mulher pendeu para um dos lados com um buraco fumegante saindo dela. A morte era algo muito menos cinematográfico, pensou com um misto de surpresa e ironia. Afinal a velha não gritava mais, porém Lídia gritou com Toni e ambos fugiram dali com o corpo da velha no porta malas.

Quando mais tarde Vinci explicou ao marido da mulher pelo telefone como as coisas tinham acontecido, ele enlouqueceu e fez todo tipo de ameaças. Até que Denis tomou conta da situação e lembrou-o da fortuna que iria cair em suas mãos e ameaçou-o de dar com a língua nos dentes, afinal, fora ele quem conseguira a arma e o combinado era que deveria estar descarregada. A arma estava no seu *"pacote de propostas reconciliadoras"*, ironizou Vinci. A arma e os papéis que poderiam incriminá-lo estavam com eles e seria fácil para a polícia juntar as pistas – Denis lembrou-lhe. No fundo, Denis achou que o sujeito planejara tudo, sabia que a mulher reagiria e que havia uma boa chance da arma disparar. Ele entendeu. Finalmente, Denis ouviu do marido friamente que *"mortes são só negócios, e negócios têm riscos."*

Essa era a lógica do crime, não se vai atrás de vítimas, se vai atrás do dinheiro, as vítimas são consequências.

"Consequências bem ruins", refletiu Lídia.

Combinaram manter a farsa do sequestro, que seria seguido de telefonemas combinados para o resgate, linguagem ameaçadora e por fim, um corpo encontrado numa estrada qualquer com uma bala na cabeça. Estava decidido, não havia muito mais o que fazer, eles seguiriam o plano. O *"imprevisto"* do segurança ia custar mais caro, afinal, o marido omitira esse *"pequeno detalhe"* e claro, eles precisariam de alguma proteção. Queriam um lugar para se esconder *"até as coisas esfriarem"*. O marido não teve alternativa, indicou-lhes um lugar, uma casa de campo, ensinou-lhes o caminho e pediu que eles ficassem lá e não tocassem no nome dele, daria um jeito. Depois desligou. *"Sujou"* – foi assim que Denis explicou ao grupo, numa palavra. Mais tarde os quatro estavam naquela estrada à procura do tal atalho que os levaria à casa onde deveriam se esconder.

"Só negócios", murmurou para si mesma Lídia, escapando do devaneio.

Denis desligou o motor do Ford, tirou as chaves do contato e empurrou a porta para sair. O vento frio passou novamente por ele, endurecendo-lhe as pernas e fazendo-o proteger o queixo sob o paletó marrom. Aproveitando a luz da lanterna do carro, ainda ligada, caminhou na direção da traseira do carro com as mãos metidas nos bolsos e a gola do paletó levantada. *"De onde veio esse frio?"*, foi o que seus pensamentos perguntaram enquanto ele olhava em torno para ver se conseguia distinguir algo parecido com uma placa ou aviso semelhante a um atalho. Apertou os olhos contra a escuridão espessa à sua volta. Um segundo depois estava retornando ao carro, apressado, com a sensação de que alguma coisa na escuridão vinha na sua direção. Denis achou que até mesmo a estrada não parecia a mesma. Teria a neblina feito com que ele se desviasse da rota? *"Ei! Não vá nos jogar fora da estrada"*, tinha dito Vinci. Denis não tinha mais certeza de não ter se desviado da estrada em que estavam. "Maldita neblina!", praguejou. Ele achou melhor não comentar sobre a sua dúvida com os demais. Entrou no carro, soprou as mãos, aproximando-as da boca para aquecê-las, travou a porta.

– E aí? – quis saber Vinci, ansioso. – Viu o tal atalho?

– Não. A neblina não me deixou ver um palmo adiante do nariz. Tenho a impressão, só a impressão, de ter visto alguma coisa a uns duzentos metros atrás, mas pode ser só uma árvore, uma cerca ou sei lá... – Os olhos de Denis continuavam a vasculhar a escuridão enquanto ele esfregava as mãos para aquecê-las.

– Eu acho que o melhor a fazer é dar marcha a ré neste carro e irmos até lá... – disse Toni, encarando Vinci. – Não entendo por que temos que caminhar, se podemos ir de carro...

Coleção Horror e Mistério

— É isso aí, garoto! – brincou Lídia. – Esse menino tem cérebro entre os alargadores de orelha.

— Não enche! – resmungou Toni.

— Acontece, Toni, que lá fora está muito escuro, e pelo que pude ver, o acostamento é muito acidentado. Se nós cairmos num buraco qualquer, adeus carro e adeus chance de nos safarmos desta. Entendeu? – explicou Vinci.

Enquanto isso, Denis olhava para o retrovisor externo e mantinha a sensação de que a estrada estava mudada e pior, que havia algo lá fora na escuridão. Ele deu ré no carro, avançaram por um espaço e então, o carro derrapou numa vala da estrada, o vão profundo da caneleta de drenagem de água entalou um dos pneus.

— Agora mais essa, estamos ferrados! – praguejou Lídia.

— Não foi uma boa ideia – completou Vinci.

— Muito bem, nós iremos a pé, nem precisa dizer mais nada. A culpa foi minha, ok? – decidiu-se Toni, mexendo-se no banco traseiro e apertando a maçaneta da porta. – Caminharemos uns duzentos metros, daremos uma olhada e se não houver nada, voltaremos para o carro e daremos o fora, certo?

— E esquecer o restante da grana? – Lídia encarou Toni. – Vocês não estão pensando que esta garota aqui se meteu numa tremenda enrascada para sair somente com a metade do combinado, estão? O tal sujeito nos deve dinheiro! Metade antes, metade depois, foi o combinado. Agora vamos ficar só com uma parte? Droga!

— Nisso sou obrigado a concordar com ela – disse Denis, finalmente livrando-se daquela sensação incômoda de estar sendo vigiado.

— E se nós pernoitarmos num motel qualquer e amanhã voltarmos a este lugar para procurar a tal casa de campo? – perguntou Vinci para os três.

— E deixar que o segurança que me viu, caso não esteja morto, mostre a minha cara para todo policial do Estado? E se alguém me reconhecer, vamos enfiar uma bala nele também?! Amanhã, quando acordarmos, toda a força policial estará nos esperando para o café. Não sou idiota!

— Não tenho muita certeza disso, Toni... – provocou Lídia. Toni fulminou-a com o olhar.

— Ele tem razão. Há uma possibilidade de terem nos reconhecido – ponderou Vinci, tentando manter a calma do grupo.

Toni gritava, estava perdendo o pouco controle que tinha, seus nervos estavam ruindo muito rapidamente.

— Eu não sei de vocês, mas eu vou encontrar esse maldito lugar, pode acreditar que vou! – Toni vociferou. – Talvez toda a policia já esteja atrás de nós!

— Tudo bem... – recomeçou a dizer Vinci, enquanto mordia a ponta dos lábios. Aquele era seu jeito de pensar. – Temos que encontrar esse lugar.

— Eu também não gostaria de voltar para a cadeia – Denis disse e soltou uma baforada de ar, que saiu condensada para o interior do carro.

"Um desabafo gelado"– pensou Lídia, olhando-o.

A temperatura no interior do Ford baixara muito com o carro desligado. Lá fora o vento assoviava de modo assustador.

– Muito bem, deixamos o carro aqui e vamos caminhando até lá, certo? – perguntou Denis, embora desconfortável com a ideia de voltar a andar naquela escuridão. Por outro lado, sentia-se responsável por ter, quem sabe, errado o caminho.

Houve um instante de hesitação e silêncio. Depois, Denis enfiou as chaves do Ford no bolso e olhou pela janela. Lá fora a neblina parecia ainda mais espessa do que antes. Arrumou-se. Fechou os botões do paletó, sabia o que iria encontrar. Virou-se para Toni; aquele era um convite para irem em frente. Sem dizer uma só palavra, os dois saltaram para fora do Ford. Caminharam juntos para a traseira do carro.

Pelo vidro traseiro, Lídia pode observá-los. Ela voltou-se para o interior e encarou Vinci.

– Tem outro cigarro, Vinci? – perguntou Lídia.

Lá fora os dois começaram a se afastar do carro. Vinci tirou o maço de cigarros do bolso e empurrou um para ela. Lídia deu uma tragada funda e deixou-se cair de costas no banco traseiro, as pernas se abrindo exageradamente. Relaxou olhando a fumaça formar uma pequena nuvem no teto do Ford.

– Estamos todos uma pilha de nervos – Vinci disse a Lídia.

– Relaxe um pouco, Vinci. – Os olhares se cruzaram e ele pensou no quanto ela era bonita. Os olhos dela brilhavam a cada tragada no cigarro.

– Eu, por mim, estou achando tudo muito divertido – disse Lídia e sorriu. Meteu os dedos por entre os cabelos e desembaraçou-os; os fios emolduraram seu rosto. Depois aproximou seu rosto do de Vinci. – Sabe o que eu acho? Acho que deveríamos relaxar um pouco, eu e você.

– Você não tem jeito... – sorriu Vinci, vencido pela sensualidade de Lídia.

Lídia avançou por sobre o banco dianteiro onde estava Vinci. Num movimento brusco arrancou a blusa e deixou parte do corpo à mostra, depois montou em Vinci. Ficaram frente a frente no espaço entre o banco dianteiro e o painel. Ele quase não podia acreditar que estavam começando a fazer amor numa estrada qualquer, no meio do nada. Lídia prendeu o cigarro entre os lábios, tirou as botas, subiu a saia. Vinci não podia acreditar.

– Estou sem calcinha, Vinci.

– Você nunca usou – respondeu Vinci e a beijou.

Um instante depois Vinci estava no banco traseiro fazendo amor.

Lá fora a escuridão crescia. Árvores, grama e estrada estavam transformadas em coisas disformes, estranhas criaturas. Velhos pinheiros impregnados de óleo diesel erguiam seus ramos como finos braços para a noite, folhas lembravam unhas arranhando o vazio. Mesmo a grama úmida e fria emitia um ruído anormal, quase um fino gemido, um *"fish"* sob as botas de couro de Denis e Toni. Os dois caminhavam um atrás do outro, abrindo uma pequena trilha na vegetação. Exceto pelas luzes traseiras do

Ford, não havia qualquer luminosidade, até mesmo o céu, Denis observou, estava negro e sem estrelas. O negrume da noite era denso e impenetrável para além de alguns metros. Um som cortou o espaço. Um grito agudo. *Um piado, talvez?*, pensou Denis.

Toni parou e observou à sua volta. Por sob a gola da jaqueta que protegia parte do seu rosto do frio que se tornara cortante, seus olhos perscrutaram a escuridão. Denis, ao seu lado, pensou ver alguma coisa. *"Uma coruja?"*, foi o seu pensamento. Ele respirou mais fundo, perguntando-se por que não haviam trazido uma lanterna. Nesse momento se deu conta de que o terreno acidentado poderia significar uma queda ou um animal rastejante, como serpentes talvez, metidas no mato.

Ao observá-lo, Toni cutucou-o e fez um movimento com a cabeça que indicava que eles deveriam avançar. Denis obedeceu. Não queria que Tony percebesse seus receios. De qualquer modo, Tony não se sentia em nada assustado e tomou a frente de Denis, empurrando-o para o lado e seguiu na frente a passos rápidos, afastando-se. Sua imagem diluindo-se na neblina. Denis pensou em gritar para ele esperar, mas desistiu, conhecia Toni, sabia que o outro tinha um humor que não deveria provocar. Ele voltou a olhar para trás, a neblina também havia envolvido o Ford, as luzes vermelhas estavam embaçadas e criavam a difusão da cor, ao mesmo tempo bela, ao mesmo tempo amedrontadora, com a luz rubra formando leves filamentos como se fosse... *Sangue!*, ele pensou e começou a achar que estava ficando com medo.

Foi então que Denis ouviu o piado novamente, só que mais intenso e mais... *Próximo!* Parou e lentamente enfiou a mão dentro de um dos bolsos do paletó, encontrando a pistola automática. Este gesto deu-lhe um pouco de confiança. Considerou que haviam se aproximado demais do ninho de alguma ave ou o bicho viera na direção deles. Fosse o que fosse, a sensação de Denis era que a tal coisa se aproximara muito, ele podia quase senti-la. Procurou pela luz do Ford novamente para orientar-se e, para sua surpresa, teve dificuldade em acreditar em seus próprios sentidos, embora ele tivesse certeza que não haviam se distanciados muito; as lanternas traseiras do carro pareciam bem mais distantes. Suas mãos estavam endurecidas pelo frio e os pés gelados obrigando-o a mover os dedos, ainda que com dificuldade, para mantê-los aquecidos.

Mais adiante, Toni caminhava na direção do que ele podia jurar ser uma placa de atalho, porém, cada vez que se aproximava, a tal placa ficava mais distante e mais disforme, envolta na neblina e na escuridão. Ainda assim, seus olhos podiam divisar uma seta negra com algumas palavras em torno. Olhou uma vez para trás e não viu Denis, disse um palavrão qualquer, mas deu-se por satisfeito por livrar-se do outro. Toni tinha seu jeito de fazer as coisas e não gostava nem um pouco de Denis, muito menos às suas costas. Um piado forte e quase rouco arrancou-o de seus pensamentos. Procurou identificar de onde tinha vindo, mas não conseguiu ver na escuridão; deu de ombros. Se fosse uma ave qualquer, meteria uma bala bem no meio dos olhos dela e pronto, tinha mais o que fazer. Não sentia medo. Se alguém ou alguma coisa devesse preocupá-lo, era quem ou o quê estivesse no seu caminho.

Coleção Horror e Mistério

Toni tinha perdido a conta de quantas pessoas já tinha "despachado" desta para melhor. À sua frente a placa finalmente apareceu. Socou o ar e cerrou os punhos num misto de raiva e satisfação. Apressou o passo, queria ter certeza daquilo que seus olhos já começavam a decifrar: ATALHO PARA VILMOM – TRECHO DE TERRA. Era isso o que deveria estar escrito naquela maldita placa que os atrasara tanto.

Lá atrás, Denis seguia a passos cautelosos na trilha aberta por Toni no meio da vegetação alta. De vez em quando olhava para trás, na esperança de não desviar-se muito do carro, as lanternas vermelhas guiavam-no como um minúsculo farol na noite. No entanto, ao olhar para as luzes, pensou ter visto uma sombra escura cobrindo momentaneamente primeiro a luz da lanterna direita e depois a esquerda. *Alguém teria saído do carro para dar uma "desaguada" ou apenas observá-los à distância?*, estes foram seus pensamentos. Chegou a duvidar se havia mesmo visto algo passando pela parte traseira do Ford. Ali parado, observou atentamente o mato à sua volta; não via mais que uma vegetação retorcida. Encostou a mão num arbusto, estava frio e úmido, retirou-a rapidamente, com repugnância. Notou que as árvores próximas eram enormes. Tão altas que ele não conseguia ver-lhes o topo. Era como se, de repente, a floresta se agigantasse nos poucos minutos que estavam fora do carro sem que eles se dessem conta. Sentiu um suor frio empapar-lhe o colarinho, afundando e escorrendo em seu peito. "*Calma, cara! Nenhum lobisomem vai pular na sua garganta. E se algum tentar, meta uma bala de 45 na cuca dele*", falou consigo mesmo. Por precaução, empunhou a pistola e aguçou os olhos, procurava ver através da escuridão.

Estava a ponto de voltar para o carro, mas havia Toni, então ele continuou caminhando mais lentamente.

Mais adiante Toni se aproximava da placa, porém, por mais próximo que estivesse, não conseguia distinguir as letras, pareciam não ter sentido da forma como estavam alinhadas. O "fissh" da grama veio da sua direita. Ele pulou quase que instintivamente para o lado contrário com a arma em punho. Um som de diapasão, uma frequência firme, que lembrava um zumbido numa usina elétrica, ficou muito próxima dele. Toni arreganhou os dentes e começou a girar o corpo de um lado para outro, com as duas mãos fechadas sobre a arma.

– Quem está aí? É você, Denis? Se for, é bom falar logo antes que essa brincadeira acabe mal, parceiro! – gritou Toni, enquanto apontava a arma em várias direções. Escutou. Depois, esforçou-se para ver através da neblina e da escuridão. Houve um flanar de asas, o mesmo som que as aves fazem quando querem ajeitar as penas ao pousar. *"Maldita ave!"*, foi o que pensou. Talvez uma coruja grande e gorda caçasse um roedor. Mas alguma coisa incomodou-o ainda uma vez, o som era de algo passando pela vegetação. O *"fissh"* repetia-se e vinha em sua direção. *"Fissh" "Fissh" "Fissh" "Fissh" "Fissh"*. Um som de enlouquecer vindo de todas as partes e de parte alguma.

– Miserável! Quer brincar, é, neném? Vem para cá, vem. Vem para o titio, sua maldita! – exasperou-se Toni. Suas expressões alternavam risos histéricos e apreensão, movendo em várias direções, a cada ruído.

"Fissh" "Fissh" "Fissh" "Fissh" "Fissh".

O som repetia-se por sobre a grama. Toni precisava ver. Certificar-se de que aquilo era um animal qualquer. Parar com aquele ruído que entrava em seus ouvidos fazendo-os doer. Bateu contra a própria cabeça, tentando afastar o som que estava em seu cérebro.

– Apareça! – gritou Toni. – Eu estou mandando!

Meteu a mão nos bolsos da jaqueta até encontrar o isqueiro descartável. Acendeu-o. Precisava visualizar alguma coisa na direção de onde achava que vinha o rastejar. A chama amarela deu ao seu rosto contornos e sombras, negras olheiras, deformando as linhas da face, uma imagem, uma máscara horripilante de si mesmo. Ergueu lentamente o isqueiro. Toni implorava para que a chama não apagasse com o vento e a umidade do ar. Moveu-a logo acima da cabeça, queria luz, precisava ver o que vinha em sua direção, a chama acima de sua cabeça formou um cone luminoso bruxuleante em torno dele. E seus olhos finalmente viram. Seu rosto contraiu-se numa mímica de nojo e desespero, teve náuseas, procurou a arma, tentando firmá-la ainda mais numa das mãos que tinha fraquejado. Teve tempo de apontar, mas não o suficiente para atingir o que vinha sobre ele.

Denis pensou ter ouvido um grito, sons, pios, mas no fundo não estava mais confiando em seu juízo, achava que estava se deixando contaminar pelo medo do escuro. Creditou tudo à sua imaginação. Toni sumira de seu campo de visão. Seguiu a trilha deixada pelo comparsa, na vegetação amassada e deitada por passos recentes. Não precisou andar muito para ver o corpo de Toni, ou o que restara dele. Havia marcas de cortes por todo o rosto e seus olhos ainda olhavam para o céu. Estava quente quando Denis o tocou e notou, mesmo na escuridão, que sob Toni uma poça de sangue aumentava. Não pode deixar de ver que faltavam partes do corpo de Toni. Não conseguia entender, o isqueiro estava ao lado; acendeu-o e pôde ver a extensão da coisa toda, havia partes de Toni espalhadas, retorcidas, estraçalhadas. "*Meu Deus!*", seus sentidos gritaram. A chama apagou e a náusea o fez derrubar o isqueiro, perdeu-se.

Denis ergueu-se e virou-se para correr, mas dessa vez as luzes da lanterna foram mesmo obstruídas por uma forma escura. A coisa, ou fosse lá o que fosse, estava entre ele e o Ford. Precisava fugir; começou a correr na direção oposta. Seus passos se transformaram numa fuga alucinada, sem direção, tropeçando, caindo, erguendo-se e correndo novamente, com a sensação de que algo estava bem às suas costas.

Finalmente Denis atirou-se numa vala, por sob um tronco podre e úmido, recostou-se e esperou. A sua respiração baixando lentamente, o coração batendo na garganta, ele fechou os olhos, tentando recuperar as forças e a lucidez. Quando seus olhos se abriram um instante, a coisa estava sobre ele, seu hálito frio e fétido bafejando em sua face. Denis deve ter gritado, mas é provável que tenha sido um som surdo e inaudível, como os que acontecem com os que gritam nos pesadelos.

– Que tal um pouco de música? – perguntou Lídia, esparramando-se no banco traseiro, com as coxas à mostra por sobre o banco da frente depois de terem feito amor. Acendeu um cigarro.

Vinci concordou e moveu o *dial* do rádio à procura de alguma estação; um som de estática envolveu o interior do carro. Passou pela 92,1, a rádio Rock; barulhenta, tocava músicas o dia todo e havia aquele apresentador maluco fazendo gracinhas, esculhambando com os ouvintes. Mas nada aconteceu, a não ser o assovio agressivo da estática.

– Estranho – comentou Vinci. – Não é nem meia-noite e nenhuma estação de rádio está no ar. – Fez uma careta, que a luz do painel denunciou ser mais de surpresa do que preocupação. – Eles costumam ter música a noite toda – completou, enquanto ajustava o dial à procura de outra estação de rádio qualquer.

– Só se essa maldita neblina está dando algum tipo de interferência – Lídia disse a última frase e sua respiração formou uma pequena nuvem de vapor condensado. Esfregou os próprios ombros, depois encolheu-se contra o peito de Vinci para se aquecer.

Vinci consentiu, sem nada dizer. Virou os botões para MW, depois para SW1, SW2 e tornou a voltar ao ponto onde marcava FM.

– Estranho, realmente eu esperava que as ondas AM "pegassem" alguma coisa. – Vinci olhou para o rádio e ficou pensativo.

Lídia notou sua expressão, apoiou-se no banco e olhou para ele.

— Algum "grilo" na sua cabeça, baby? — ela ronronou em seu peito. Nem parecia mais a mesma garota. Vinci admitiu que pudessem estar apaixonados.

— Sei lá... — ele sussurrou. Depois desligou o rádio. Os dois permaneceram na escuridão quase total do interior do carro. — É como se... Se não houvesse nada lá fora.

— Você quer dizer até mesmo gente? — perguntou Lídia, erguendo o rosto para ele.

— Parece bobagem o que eu vou dizer, Lídia, mas uma vez li uma história em que explodiram uma bomba atômica e toda comunicação da Terra tinha acabado. E um sujeito ficava tentando ouvir alguma mensagem e só ouvia a estática nos rádios...

— Parece meio estúpido, para mim. Um cara, depois que o mundo foi pelos ares, se preocupar com um rádio que está mudo em vez de salvar a própria pele — disse Lídia e Vinci riu e concordou com ela com um movimento de cabeça.

— Lídia, você não acha que aqueles dois estão demorando demais. São só uns duzentos metros, sei lá... — Vinci tentou olhar através do vidro traseiro, mas a neblina estava muito espessa agora.

— O que você está querendo fazer, *baby*, dar uma voltinha por aí? — Lídia terminou a frase com uma entonação que demonstrava surpresa.

— Esse lugar está me parecendo mais estranho... Nenhum carro ou caminhão passou por nós desde que estamos aqui, nenhuma rádio transmitindo e nem sinal daqueles dois...

— Tudo bem, *baby*, já entendi. Depois de uma *transa*, eu preferia um cigarro, mas aceito dar uma volta pelo quarteirão — brincou Lídia, depois tirou uma pistola pequena da jaqueta, que cabia na palma de sua mão, e enfiou-a na cintura. Encarou Vinci. — Estou pronta. Para dizer a verdade, quero muito sair deste lugar, está começando a me deixar nervosa.

Os dois desceram do carro. Primeiro Vinci, depois Lídia. O ar gelado e cortante atingiu-os e eles se encolheram um pouco. Vinci olhou à sua volta, tentando proteger-se do frio. Pensou ouvir ou mesmo ver alguma coisa passar pela frente do carro a uns cinquenta metros à frente deles, mas era impossível ter certeza, estavam quase cegos naquela neblina miserável. Não disse nada a Lídia. Estava ficando cada vez mais nervoso.

Enquanto isso, Lídia olhava para ele envolvida em sua jaqueta muito curta para tanto frio, bafejava nas mãos, por entre os dedos a pequena arma. Vinci bateu a porta do carro com força, quase ao mesmo tempo em que Lídia o fazia. Contornaram o carro.

— Ok! Vamos caminhar um pouco naquela direção, eles foram por ali — a voz de Vinci saiu em baforadas.

Lídia tremia, encolhida sobre si mesma. Juntos caminharam protegendo o rosto e as mãos do vento. Vinci não conseguiu ver os limites da estrada, guiou-se pela lanterna vermelha traseira do Ford que continuava acesa e pelo meio fio da estrada.

"Um atropelamento agora era só o que nos faltava", pensou Vinci, enquanto caminhava sentindo o cascalho sob as botas. Então, chamou

pelos nomes dos dois, a princípio sem levantar muito a voz, depois, ajudado por Lídia, a plenos pulmões.

– Ei, caras! Se vocês estão nos ouvindo, deem uma resposta! – gritou Vinci.

– *Qualé*, seus sacanas? Vocês acham que nós vamos esperar a noite toda nessa geladeira? – gritou ainda mais alto Lídia, irritada com toda aquela situação.

Vinci concluiu que Lídia voltara a ser a mesma garota durona que ele conhecia. Naquelas circunstâncias, considerou que era uma boa vantagem.

Um silvo, um piado passou ao longe e ambos olharam na mesma direção.

"O vento, quando quer, pode fazer coisas incríveis...", pensou Vinci, olhando para a escuridão.

– Ei! Vinci! Esses caras estão surdos, ou então estão querendo tirar *uma* com a gente? Se eles querem nos pôr malucos, estão conseguindo. – Lídia tinha perdido seu senso de humor. Vinci sentiu que sua companheira estava nervosa.

– A mim também – Vinci concordou com Lídia, juntou-a mais próxima dele e caminharam. Ele estreitou os olhos para a escuridão. Teria visto algo brilhando lá adiante? – Ei, Lídia, você viu aquilo?

– Aquilo o quê? – retrucou Lídia, enfiando as mãos pela cintura de Vinci para proteger-se do frio.

— Eu acho que vi um brilho, uma chama de isqueiro... Eu acho — completou Vinci.

— Os desgraçados estão lá fumando seus malditos *baseados* e nós aqui esperando esses idiotas. Deixa eu ficar cara a cara com eles. — Lídia mostrou sua pequena arma a Vinci como sinal de ameaça.

— Tem certeza que não viu nada, Lídia? — Vince quis saber.

— Eu não vi nada, Vinci, mas se você diz que viu, tudo bem para mim. Vamos até lá arrastar aqueles dois estúpidos de volta para o carro e cair fora desse lugar nojento.

Vinci não respondeu, apenas caminhou na frente, pisando a grama úmida e equilibrando-se no cascalho. As margens da estrada pareciam ter desaparecido e havia um silêncio estranho, profundo. Caminharam tendo o negrume da noite à sua frente, árvores parecendo milenares cheirando a mofo, a umidade, a decomposição, como se a qualquer momento fossem desabar podres de seus troncos sobre eles. Vinci teve a sensação de reconhecer aquele cheiro, não era de alguma cela suja onde já estivera, nem de quartos alugados em motéis baratos, mas de uma estufa. — *Isso mesmo, uma estufa*! — Dessas que se cultivam orquídeas, onde havia trabalhado quando era garoto. Cheirava adocicada, uma mistura de terra revolvida, fria e escura como o húmus. Por um momento, pensou se não era isso que os mortos tinham que cheirar para sempre até apodrecerem em suas covas. Se fosse assim, não seria nada agradável estar morto.

— Vinci, acho que bati em algo. — Lídia parou, segurando firmemente o braço de Vinci.

Vinci virou-se na direção dela, tateou à procura do isqueiro e acendeu-o. Lídia perguntou-lhe se não era a umidade escorrendo por uma folha. Mas havia mais que uma sensação de se estar tocando uma folha, parecia mais com um tecido, *"sim, um pedaço de tecido. Isto parece pele!"*, Lídia confirmou para seus próprios pensamentos.

A luz fraca do isqueiro iluminou primeiro o arbusto negro e disforme, revelando a seguir um pedaço de lã marrom, do mesmo tecido do casado de Denis. Lídia, apavorada, projetou as próprias mãos diante da chama e havia sangue nelas, sangue vivo, recente. Ela limpou as mãos rapidamente na própria roupa, estava horrorizada. Sentiu uma vertigem, abaixou-se até o chão e ofegou com dificuldade.

Em pé, Vinci olhava tudo em torno, os olhos assustados, agarrado à arma. Tornou a fazer brilhar a chama, desta vez na direção dos seus pés. Seu rosto se contraiu, os olhos viraram nas órbitas. Sob seus pés havia muito sangue e uma enorme mancha com restos de gordura e pele, que ele reconheceu ser um dedo ou uma parte de uma mão. Nela estava o anel de ouro com signos de Denis. O isqueiro apagou-se. A respiração dos dois tornou-se ofegante, soprando rolos de fumaça branca. O coração de Lídia batia acelerado, ela tremia. Olharam-se.

– O que aconteceu, Vinci? – A coragem e a ousadia de Lídia haviam desaparecido, ela estava realmente assustada. – O que aconteceu... – ela soluçou, encostando-se ao peito dele.

– Como eu vou saber?! – gritou, afastando-a e chutando aqueles restos para longe. – Diabos! O que está acontecendo aqui? – gritou para a escuridão.

— Alguém... Alguma coisa está por aqui — Lídia disse, agarrando-se a Vinci e olhando por sobre o ombro à procura de algo no escuro. Estava horrorizada. — Tem alguma coisa, eu sei... Eu sinto, Vinci.

— Tenha calma, Lídia! Eu tenho que pensar. — Vinci correu os dedos por entre os fios de cabelos como se pudesse arrancar uma explicação de dentro de sua cabeça.

Um movimento nos arbustos fez com que ambos se calassem por um instante.

— Eu vi, Vinci! — gritou Lídia, totalmente descontrolada.

— Viu o quê? — Vinci apontava em todas as direções.

— Uma sombra, Vinci... Uma sombra perto do carro, eu juro. E... era uma coisa enorme...

— Imaginação sua, Lídia. Loucura. É este miserável deste lugar. — Vinci bateu com o indicador na própria cabeça, sinalizando que estavam ficando malucos e deixando-se apavorar. Precisava ser frio, pensar com lucidez. — O que quer que tenha pegado os dois, tem que ter a força de um tigre, de um urso, sei lá! E eu não acredito que haja um bicho desses soltos numa estrada estadual, e logo aqui! — gritou Vinci e depois vomitou na beira da estrada.

— Eu quero o isqueiro, Vinci. Dê-me o isqueiro, vamos! — Lídia gritou.

Vinci passou-o para ela. Lídia acendeu o isqueiro novamente, apontou a arma para todas as direções, enquanto elevava a chama acima de suas cabeças, querendo aumentar a área de luz em torno deles. Podia sentir o metal aquecendo-se sob seus dedos, queimando-os, não se importou.

Atalho do Medo

– Escute, Lídia, nós temos que pensar. O que quer que tenha feito isso a Denis e Toni, não deve estar longe, o sangue ainda está fresco aqui, portanto é melhor a gente voltar devagar para o carro, ok? – Agora foi Vinci quem tirou a automática da cintura e ergueu-a na altura dos olhos, as duas mãos fechadas sobre a arma, enquanto Lídia concordava com a cabeça e começava a movimentar-se lentamente em direção ao carro. – Eu ainda posso ver as luzes vermelhas do carro, vamos caminhar até ele, devagar. Um de costas para o outro, certo, Lídia?

Lídia não respondeu, acenou nervosamente com a cabeça e começaram a caminhada na direção do carro. Sob seus pés, o som dos cascalhos foram substituídos pelo *"fissh"* da grama úmida. Passo a passo, como um casal de bailarinos, eles avançavam, os olhos brilhando no escuro, atentos. Um galho desprendeu-se do alto de uma das árvores, tocando no rosto de Lídia, que gritou e atirou na direção do nada. Quase descarregou a arma. Vinci tentou detê-la, até que ela ficou parada olhando para o vazio. Ele também atirara, mas sem saber exatamente no quê.

– Desculpe, Vinci. – Foi o que ela pôde dizer, arriando os ombros e deixando a arma pender numa das mãos.

– Tudo bem, tudo bem, eu também estou apavorado, Lídia, dá pra ver, vamos nessa!

Recomeçaram a caminhada, nem cinquenta metros os separavam do carro. Um silvo cortou o ar, um diapasão, depois, um movimento de penas acomodando-se.

— Você ouviu isso? — Lídia falava com Vinci, mas seus olhos não estavam nele, estavam na escuridão.

Uma sequência de *"fissh"* se fez ouvir, eram passos como os deles, só que de algo bem maior.

"Fissh" "Fissh" "Fissh" "Fissh" "Fissh".

— Ouvi! — disse Vinci, apurando os ouvidos e retesando cada músculo de seu corpo. — Pa... parece alguma coisa grande... Talvez uma ave... Grande o suficiente para arrastar um homem... Ou dois... E parece que vem na nossa direção! — Ele ergueu os olhos para o negrume na direção do som.

— Pode ser, Vinci... Mas eu não vou ficar aqui para ver — Lídia disse e suas palavras saíram entrecortadas pelo medo.

— Corra, garota, corra! — gritou Vinci.

Lídia começou a correr, atrás dela Vinci fazia o mesmo. O *"fissh"* da grama estava atrás deles agora e aumentando a velocidade. Vinci corria com a sensação clara de que alguma coisa às suas costas vinha sobre eles.

O carro parecia distante demais, inatingível. Finalmente bateram com seus corpos contra a lataria do Ford. Lídia meteu-se por uma das portas. Por sorte, tinham-nas deixado abertas. Vinci foi na direção da porta do motorista. Em sua cabeça, ele só pensava em fazer aquele carro arrancar dali e desaparecerem.

No entanto, a negritude aumentou, como se alguma coisa se interpusesse entre a luz natural da noite e o interior do carro. A sombra de um vulto. Lídia podia senti-lo, não era mais uma impressão apenas, estava ali, ao seu lado. Ela

Atalho do Medo

empurrou nervosamente a trava da porta, seus dedos tremiam e vacilavam, lutando para apertar a trava. Num instante e a coisa, fosse o que fosse, estaria sobre eles. Sua sombra contornava o carro, ia na direção de Vinci, cercando-o.

Lídia não sabia por que Vinci demorava tanto para entrar no Ford. Então, ela entendeu. Vinci estava paralisado, colado à lateral do carro, ele vira a coisa. Seu rosto estava petrificado, seus olhos absurdamente abertos, enquanto seu queixo permanecia caído. Lídia olhou para a coisa e viu-a crescer na direção de Vinci como uma enorme mancha negra. Vinci continuava imobilizado de pavor. Lídia chutou a porta, arrancando-o do estado em que ele se encontrava e arrastando-o para dentro do carro. Bateu a porta e seus dedos nervosos tatearam de um lado a outro, travando as demais portas do Ford. Agarrou-se a Vinci, com um choro convulsivo.

Vinci recobrou-se. O que quer que fosse aquilo, tivera tempo suficiente para deixar um rasgo na pele de seu braço, que só agora ele sentia doer.

– Vinci, você tá legal? – perguntou Lídia, ofegante tanto quanto ele.

– Ach... Acho que estou... Vo... Você viu aquilo? – O rosto de Vinci estava banhado de suor.

– Não vi nem quero ver, quero é cair fora daqui. Vinci, por favor, vamos sair daqui!– Lídia chorava como uma criança muito assustada. – Olhe para você, está sangrando... Esse corte...

– Eu tô legal... Lídia, aquilo que está lá fora não é nada que eu já tenha visto em qualquer lugar... Tem dentes enormes... E garras... Eu nunca vi nada assim antes.

— Chega, Vinci! — gritou Lídia, agarrando os próprios joelhos e balançando o corpo de um lado para outro, enquanto tentava conter as lágrimas. — Pouco me importa o que seja aquilo. Talvez seja só um bicho que escapou de alguma *porra* de zoológico...

— Aquilo não é um bicho de zoológico, nem de circo algum, Lídia, aquilo se parece mais com um morcego gigantesco.

— Ai, meu Deus! — murmurou Lídia.

— As chaves do carro... — gemeu Vinci, procurando vencer a dor que o ferimento lhe causava.

— Eu não sei! — Lídia vasculhou pelo carro à procura delas. — Onde estão as chaves do carro? Eu mesma vou dirigir esta coisa para sairmos daqui, você está muito ferido. — As mãos de Lídia tatearam nervosamente pelo painel. Em vão. Era óbvio que Denis as levara com ele, mesmo os ladrões têm esse hábito.

— Tudo bem, a maldita chave não está aqui — gritou Lídia para Vinci, mordendo com força o lábio inferior.

— Eu posso dar um jeito, é só fazer uma ligação dire...

Um som de estrondo percorreu o carro, interrompendo a frase de Vinci, e um tremor interno passou por eles. Os dois ficaram paralisados, olhando pelas janelas do carro e procurando ver lá fora.

— O que você acha que foi isso? — perguntou Lídia.

— Não sei ainda, mas acho que aquela coisa está rondando nosso carro — respondeu Vinci.

Atalho do Medo

— Talvez tenha ido embora — arriscou-se Lídia.

— Duvido! — Os olhos de Vinci dançavam de um lado a outro, como um sujeito "ligado". — Algo me diz que essa coisa está debaixo do carro. — Os olhos dos dois varreram o assoalho do Ford.

— Vinci, você acha que aquela coisa poderia quebrar o vidro e nos atacar? — perguntou Lídia, com pavor.

— Fique calada e escute um instante. — Vinci convencia-se aos poucos que a coisa lá fora apenas esperava pelo momento certo para pegá-los, mas não podia dizer isso a Lídia. — Nós precisamos ter calma, se quisermos sair daqui... Compreendeu? — Lídia fez que "sim" com a cabeça. — Isso é bom — concluiu Vinci e tocou o rosto dela com delicadeza.

Lá fora o vento tornava-se menos intenso, a neblina se dissipava, e eles já podiam divisar parte da estrada. A sorte parecia estar mudando para eles, acreditou Lídia. O atalho, maldito atalho que os afastara sabe-se lá de onde, de qualquer lugar onde houvesse ajuda, até mesmo da polícia, pensou Vinci, incrédulo consigo mesmo. No entanto, ninguém passara e ele duvidava que passassem por aquela estrada, havia algo de muito errado e ele o sentia. Foi então que o carro moveu-se lentamente para a direita, escorregando no cascalho, inclinando-se para a vala de escoamento de água que percorre os acostamentos. A coisa estava levando o carro para a vala, de onde, uma vez que ele caísse, acabaria preso e as chances de saírem dali seriam remotas.

— Preciso fazer alguma coisa.

Vinci afastou-se de Lídia e abaixou-se para olhar sob o painel do Ford. A dor nos ferimentos atingiu-o e ele contraiu a face, por um momento achou que não conseguiria manter-se consciente. Lídia o abraçou. Vinci meteu-se por sob o painel do carro, arrancando os fios, mordendo-os, tirando pedaços até expor o cobre. Lutava contra o tempo para fazer uma ligação direta e dar partida no carro. O carro recomeçou a deslizar, houve um solavanco e depois foi empurrado por uma força que agia sob eles.

– Ande logo, Vinci, essa coisa vai nos enfiar dentro da vala antes que você consiga ligar esse carro – gritou Lídia, apoiando-se no interior do Ford, quando veio o outro solavanco. Pelas janelas do carro ela viu que estavam sendo levados para a vala.

– Faço o que posso... – respondeu Vinci entre dentes, também se apoiando por sob o painel e evitando o rodopio do carro.

Com a cabeça ainda metida sob o painel ele achou ter agarrado os fios certos. Então, o movimento parou. Ele deteve-se por um instante para lançar-se freneticamente no momento seguinte aos fios, era sua chance de ligar o carro antes que fosse tarde demais. Ergueu a cabeça. Isso significava para Lídia algo como *"Pronto!"* Restava apenas encostar as pontas descascadas e o motor estaria roncando novamente. Vinci ajeitou-se no banco, procurando os pedais certos, tateou na direção dos faróis e a estrada iluminou-se diante dele.

Como que emergindo da luz diante dos faróis, do nada, a coisa projetou-se contra o vidro. Batendo contra o carro, um *"plaft"* e diante deles, a centímetros dos rostos de Vinci e Lídia, o focinho da coisa achatou-se contra o vidro do Ford. Vinci olhou para aquela massa disforme. Mais atrás, no banco do passageiro, Lídia mordia os próprios dedos. Era ou parecia-se com um gigantesco morcego, a boca escancarada num sorriso hediondo; havia sangue grudado nos seus pelos, a língua preta e pegajosa colava-se ao vidro dianteiro.

Lídia atirou-se para trás, como se pudesse ir mais além no interior do carro e entrou em novo ataque de pavor, contorcendo-se, gritando e arranhando-se em desespero. Vinci, como um reflexo, meteu o pé contra o vidro como se pudesse impedir que o mesmo cedesse diante do peso daquela criatura. O abdome nu da criatura lembrava o de um homem pré-histórico, ele pensou. Vinci sentia-se envolvido por um misto de horror e fascinação, diante de algo tão estranho e horrível. O monstro emitiu um silvo, um grunhido; em seguida, o bafo quente da fera condensou-se no ar e ele abriu o que Vinci pensou que fossem braços, mas eram asas coladas ao corpo da criatura como uma membrana. Lembrou-se dos morcegos, novamente. No entanto, onde procurava ver garras, viu mãos, dedos quase perfeitos, não fosse pelas formas e espessura das unhas, lembrando pequenas adagas negras muito afiadas. A criatura escorregou lentamente por sobre o capô do carro. Vinci teve a certeza de vê-la sorrir quando sua cara deslizou para baixo do Ford.

Vinci lembrou-se de Lídia, abraçou-a por sobre o banco; ela tremia e mordia um dos dedos, completamente alheia a tudo. O rosto de Lídia era uma máscara de lágrimas, filetes escorridos de maquiagem formavam veios negros em seu rosto, aprofundando suas olheiras. Ela ergueu os olhos para ele. Vinci envolveu-a. Então o carro começou a movimentar-se mais rápido em direção à vala, um som de metal sendo torcido e raspado; em seguida, um a um, eles ouviram os pneus sendo estourados.

Lídia voltara a gritar e esmurrar-lhe o peito. Vinci saltou para frente e deu a partida, roçando os fios descascados entre si; fagulhas pularam dos fios desencapados, o carro roncou e ele acelerou. As rodas atiravam o cascalho para longe, a fumaça branca escapou do cano de descarga. A frente do Ford guinou para um dos lados, derrapando, lutando contra uma força que o detinha. No interior, o cheiro de óleo queimado impregnou o ar. Vinci esforçava-se para manter o carro longe da vala.

– Vamos conseguir! – Vinci gritou.

O carro avançou um pouco e então o som do motor desapareceu. Vinci atirou-se sob o painel e, angustiado, roçou os fios novamente; o motor emitiu um rangido, gemia num nota aguda, porém, não funcionou. Em desespero, bateu com a cabeça contra o volante até sangrar. Era tarde demais. A criatura arrastava o carro para a vala. Os pneus arriados e a vala de terra aprisionaram o carro. Lídia começou a gemer:

– Vamos morrer, Vinci, vamos morrer!

– Cale-se! – reagiu Vinci. – Escute o que vou dizer: aquela coisa lá fora é só um animal, um morcego ou sei lá o quê, eu vi muito bem. O que nós temos que fazer é ir lá fora e estourar a cabeça dele com uma bala e espalhar essa merda pra todo lado, entendeu, Lídia? – Agarrou a cabeça de Lídia, colocando-a diante dos olhos dele. Com uma das mãos limpou o rosto dela. Ela pareceu concordar com um movimento de cabeça. – Boa menina – disse, beijando-a levemente nos lábios. – Agora você me ouça bem, nós dois vamos lá fora... – Lídia fez um movimento de "não" com a cabeça, estava apavorada, mas ele a deteve. – ...Vamos sim. Cada um de nós usando a sua própria arma. Quando aquela coisa aparecer, nós vamos esperar por ela. Essa é a nossa única chance de sair daqui, entendeu?

Vinci voltou-se lentamente para frente e olhou para a estrada até onde os faróis alcançavam, depois pegou sua arma, uma pistola 765, ejetou o carregador, conferiu que estava completo de cartuchos e tornou a juntá-lo ao corpo da arma. Olhou para Lídia, que no banco de trás fazia a mesma coisa.

– Pronta? – ele quis saber.

Lídia mordeu os lábios num *sim* abafado quando seus olhos se cruzaram, estava pronta também. Lídia parecia mais confiante agora. Olhou para fora, dizendo:

– Vamos meter uma bala no seu saco, seu desgraçado! – e cuspiu contra o vidro. Vinci ficou aliviado, precisava contar com alguém que estivesse alerta e não assustado. Ele tornou a olhar em torno do carro, cada arbusto, cada galho, pedra ou obstáculo que podia divisar e nada indicava que teriam ajuda, restava-lhes lutar. Ficaram esperando por algum tempo que a coisa saltasse novamente sobre o carro e então encheriam sua barriga nojenta de chumbo. Lá fora, no entanto, o silêncio voltava a abraçar tudo, envolvendo a estrada e a bruma começava a voltar em fios suaves.

– Vinci, você acha que aquela coisa vai ou não vai nos atacar? – perguntou Lídia.

– Como vou saber? Mas eu bem que gostaria que ela tentasse – Vinci respondeu e mexeu-se devagar, a ferida estava sangrando, mesmo assim não o suficiente para impedi-lo de atirar.

Sob eles um som de pancadas percorreu o assoalho do carro.

Tam tam tam!

Ambos levantaram os pés assustados. Um ruído de metal sendo arranhado, a seguir, fez Vinci ter certeza que a coisa tentava atingi-los por sob o Ford. O carro emitiu um gemido de metal sendo torcido e inclinou-se ainda mais. Ele deu a partida e novamente o motor respondeu com um soluço. Pisou no acelerador com raiva, arrancaria aquele carro dali fosse como fosse. Poeira e pedras pularam em várias direções, mas o Ford apenas escorregou para um dos lados e parou com o motor emitindo um guincho a cada tentativa de Vinci de fazê-lo voltar a funcionar.

– Droga! – ele gritou esmurrando o painel. – Estamos ferrados. Ferrados!

Lídia olhou para ele e depois para fora, tudo voltara a silenciar. Os dois se ajeitaram em seus lugares, o frio voltava. Aos poucos o cansaço os vencia e Vinci cochilava sobre o painel. Sua cabeça foi de encontro à buzina e o som estridente fez os dois pularem.

– O que foi isso? – gritou Lídia, que também adormecera.

– Acho que caí de cara na buzina, dormi, garota.

– Ei, Vinci! Você está sentindo esse cheiro? – perguntou Lídia.

– Cheiro? Eu não estou sentindo nada. – Vinci cheirou o ar para certificar-se.

– Pois eu estou... É gasolina! Vinci, eu tenho certeza que é gasolina! – Lídia gritou para Vinci quase ao mesmo tempo em que esmurrava o banco à sua volta. – Aquele bicho!

Vinci olhou pelo retrovisor e viu um filete brilhante que escorria na direção da vala, uma pequena cicatriz descendo desde a lateral do Ford até o chão. A coisa abrira o tanque de gasolina e, inclinado com estava, a gasolina começara a escorrer. Vinci não podia acreditar que aquele animal tivesse pensado nisso.

– Eu sei o que você está pensando, Vinci. Como é que um morcego, ou seja lá que bicho for, iria pensar nisso? Acontece, Vinci, que aquilo que está lá fora não é e não pode ser um animal qualquer. Aquilo é um monstro, uma criatura que pensa e quer nos pegar.

Vinci concordou com Lídia. Tudo em sua cabeça era confusão, parte não queria acreditar e parte se recusava a negar o que estava diante dele.

– Você está certa, Lídia, mas se essa coisa pensa que eu vou ficar sentado aqui até que ela venha nos pegar, está muito enganada. Vamos sair. Seremos a nossa própria isca. É o único jeito.

– Essa coisa não consegue entrar no carro, já sabemos disso. E se esperássemos até amanhecer, Vinci? Não seria muito mais tranquilo? – Lídia segurou o braço de Vinci, detendo-o.

Quase que simultaneamente viram um clarão na escuridão. Ambos reconheceram o metal polido e a chama amarela do isqueiro que Toni usava.

— Isto responde a sua pergunta? — disse Vinci e apontou para a chama que ele sabia estava sendo mantida pela criatura. — Aquela coisa vai nos fritar vivos dentro desse carro. Se ela quer que saiamos, vamos sair. Faremos parte do jogo.

— Tudo bem, Vinci, faremos do jeito que você quiser... — disse Lídia, limpando ainda uma vez as lágrimas.

— É isso aí, Lídia. Agora se prepare que eu vou destravar as portas e sair, você fica dentro do carro me dando cobertura. Se aquela coisa aparecer ou pular sobre mim, atire! Entendeu? Atire, por favor!

— Eu vou atirar, Vinci... Vou atirar...

Vinci começou a destravar a porta. Lídia tocou-lhe de leve o braço. Ele voltou-se e ela o beijou.

Vinci saltou para fora do carro, a neblina rasteira da noite interminável cobriu seus pés. Ele olhou em todas as direções, movia-se com morosidade, apenas seus passos sobre o cascalho quebravam o silêncio. Seguiu para a frente do Ford; pretendia contorná-lo. Antes, porém, tinha que certificar-se que a criatura não continuava na frente do carro. Olhou por sobre o capô da frente para o interior do carro. Lídia continuava com os olhos colados nele, as luzes fracas do painel estavam acesas iluminando suavemente seu rosto e a arma brilhante posta bem diante dos olhos. Vinci acompanhou as linhas deixadas sobre o capô pelas unhas daquele animal, rasgos na lataria, e arrepiou-se ao pensar no tamanho delas. Junto havia algo como se fosse saliva do animal, uma gosma que ainda escorria pela lataria. Olhou em torno, a arma em punho e não viu ou ouviu nada. Toda a volta do carro parecia livre, também não conseguia ver nenhum vulto ou ameaça na estrada. Então, um pensamento atravessou-o como uma agulha fina e fria, suas pernas ficaram duras, cada tendão do seu corpo retesou-se e seu coração disparou no peito.

"Embaixo do carro!", seus pensamentos gritaram dentro dele naquele instante.

Vinci estava parado enquanto possivelmente a coisa estava debaixo do carro, talvez o observando, não poderia ter desaparecido tão rapidamente. Fez um sinal para Lídia e ela compreendeu. Então, começou a abaixar-se lentamente, curvando-se pouco a pouco para olhar por baixo do Ford. O tempo que levou para fazê-lo pareceu-lhe uma eternidade. Movia-se lentamente, à espera do ataque eminente. Aos poucos a cabeça de Vinci atingiu a altura dos próprios joelhos, curvado como estava. Com os músculos doloridos de tensão e a respiração ofegante, ele abaixou-se. Esperava dar de cara com a criatura. *Nada!* Olhou por toda a extensão sob o carro e nem sinal de alguma coisa estranha.

Ergueu-se num só lance, apoiado contra a lataria. Respirava ofegante, o suor empapando suas axilas e formando manchas. Moveu-se com dificuldade, agarrado à lateral do carro para conseguir recuperar as forças. O ferimento no braço cobrava um preço da sua resistência. Olhou para o interior do carro e fez sinal para que Lídia saltasse. Ela vacilou um instante, mas vendo-o ali parado, empurrou a porta do carro e pulou para fora. Vinci passou a mão pela própria boca, que estava seca, e pensou que tomaria uma boa dose de qualquer coisa naquele momento. Lídia aconchegou-se no peito dele.

— Agora, meu bem... — iniciou Vinci, vencendo a dificuldade de respirar e umedecendo os lábios com a própria língua. — Nós vamos até o tanque de combustível, temos que fechar aquilo e tentar mover o carro daqui de alguma forma, pelo menos para ficarmos longe dessa gasolina toda. — Dizendo isto, afastou Lídia e caminhou na direção da traseira do Ford. Mantinha a arma apontada para frente. Lentamente aproximaram-se do tanque de gasolina. Estava realmente aberto e a tampa deixada ao lado do pneu. Vinci pegou-a e tentou atarraxá-la na boca do tanque, em vão, estava quebrada.

— Por que essa maldita criatura deixou a tampa ao lado do tanque? — quis saber Lídia.

— Para sairmos do carro! — foi como Vinci respondeu. A criatura os queria fora do Ford. Atirou a tampa para longe, partida como estava não podia mais prestar. O som veio de uma das árvores, um silvo. Um enorme pinheiro postado ao lado da estrada. Vinci disparou a pistola na direção do som. Lídia fez o mesmo. Os sons se perderam na noite num espocar sem fim ecoando no vazio.

— Eu acho que ouvi alguma coisa, Lídia. — Vinci apontou numa direção.

— Eu... Eu também... ouvi... Vinci. Espero que tenhamos acertado algum tiro na... Naquilo! — Lídia respondeu e suas palavras saíram aos soluços novamente.

O silvo tornou a cortar o ar. Vinci agora tinha certeza que tudo que acontecera fora uma forma elaborada de atraí-los para fora, cada vez mais se convencia que não estavam lutando contra algo comum. Sua cabeça estava muito confusa. Logo em seguida ao silvo, um ruído de coisas sendo arrastadas veio da direita deles.

– Naquela árvore, Vinci, você ouviu? – perguntou Lídia a Vinci, que olhava na mesma direção.

– Ouvi, Lídia, a maldita coisa deve estar lá... – Vinci limpou o nariz nas costas da mão. – Eu tenho certeza que o desgraçado está parado em algum galho bem lá em cima. – Começou a caminhar na direção da árvore, a arma apontada para o alto, os olhos fixando os galhos um a um. Procurava pela coisa empoleirada em algum lugar daquela árvore.

– Vinci, nós não estamos nos afastando demais do carro? – Lídia deteve-o por um instante. – Acho que não devemos nos afastar tanto do carro assim.

– Shhhh! – fez Vinci com o dedo indicador sobre os lábios, ainda olhando para o alto e deu um sinal para Lídia para que o seguisse. Ela acompanhou-o.

Vinci seguiu lentamente, atrás dele Lídia caminhava com dificuldade, tropeçando em tufos de capim espalhados pelo mato, que feriam suas coxas como agulhas espetadas numa esponja. O farfalhar de asas veio de um dos galhos. Vinci aproximou-se, procurava ver melhor. A coisa moveu-se no galho. Vinci apontou na direção dela, podia ver-lhe os olhos brilhando no escuro, disparou. O estrondo do disparo fez a ave sair do seu lugar e voar para longe, era uma coruja. Lídia caiu de joelhos, a arma entre as mãos, estava esgotada. Vinci ajoelhou-se até ela, que estava tremendo, e abraçou-a, abandonando a arma ao lado. Lídia envolveu-o.

– Vamos, Lídia, precisamos voltar – disse Vinci, passando os dedos por entre os cabelos dela e por um instante esquecendo-se do perigo que os cercava.

A neblina esbranquiçada envolvia a ambos como uma gaze fina. Pontas de capim varavam a neblina como se fossem caprichosas garras prontas a prenderem-se nos tornozelos de quem delas se aproximasse. Levantaram com dificuldade, apoiando-se. Vinci ajeitou a gola do paletó, seriam um casal de enamorados, não fosse o grotesco da situação em que se encontravam. Lídia tomou a dianteira, sentia-se mais fortalecida depois dos disparos de Vinci, sabia que os nervos dele estavam se esgarçando. Ele, por sua vez, estava convencido que o melhor era voltar para o carro e esperar pelo amanhecer, afinal, pensava, os morcegos têm hábitos noturnos, e pela manhã tudo estaria bem.

Era nisso que estavam seus pensamentos quando Lídia soltou um grito; ela sentiu uma dor lancinante no tornozelo. Vinci amparou-a quando ela ameaçou cair. Alguma coisa rastejando pela neblina, que agora chegava aos joelhos dos dois, agarrara o tornozelo de Lídia. Ela gritava e lutava para libertar-se. Vinci apontou para o lugar e disparou, a garra soltou-se e Lídia libertou-se; um filete de sangue escorria pela sua perna. Ela mancava quando colocou-se de pé e recomeçou a caminhada de volta, com mais pressa. Vinci tornou a apontar em várias direções, o silêncio voltara a ser opressivo. Ambos caminhavam o mais rápido que o ferimento de Lídia podia aguentar na direção do carro. O ruído veio logo atrás deles. *"Fissh"*. Os sons se sucederam aumentando de intensidade e ficando cada vez mais próximos.

"Fissh" "Fissh" "Fissh" "Fissh" "Fissh" "Fissh".

Vinci afastou-se de Lídia. Ela quis juntar-se a Vinci novamente. Ele a deteve e empurrou-a na direção do Ford. Manteve-a, de propósito, à frente dele, enquanto ia cobrindo a retaguarda dos dois. Seguia de costas com a arma apontada, pronto a disparar contra qualquer coisa que se movesse. Então ele gritou, uma garra gigantesca prendeu-o, ele pode sentir os ossos estalarem quando os dedos se fecharam sobre sua perna, disparou na direção do próprio membro contra o que imaginava estava detendo-o. O que pôde sentir foi ainda mais dor, foi desespero, medo, horror. Olhos amarelados e malignos encaravam-no friamente e ele podia jurar que a criatura sorria com prazer. Lídia correu até ele. Vinci estava caído, apenas parte do seu corpo sobressaía da neblina.

– Suma daqui, vá embora! – ele gritou para Lídia, enquanto lutava para livrar-se da garra que o arrastava para o interior da neblina.

Mesmo na escuridão, Lídia pode vê-la, a coisa monstruosa se fechava em torno do tornozelo de Vinci. Eram dedos humanos, no entanto pareciam secos, quase mumificados. Unhas enormes e negras cravavam-se na carne de Vinci, cortando e ferindo como navalhas. Ele gritava enquanto seu corpo era arrastado aos solavancos pelo terreno.

– Vá embora daqui, Lídia, fuja! – ele gritava desesperado para afastá-la dali.

Enquanto Lídia gritava tentando detê-lo, Vinci era cada vez mais arrastado, seus dedos inutilmente tentando prender-se aos tufos de grama e terra, estava sendo impelido na direção da mata. Lídia disparou contra o que julgava estar sob a neblina, mas o corpo de Vinci continuava a ser arrastado. Ela agarrou sua mão.

– Por favor, Vinci, não largue! Por Deus, não largue a minha mão!

A mão de Vinci começou a escorregar, enquanto ele gritava para que ela corresse enquanto podia. Seus dedos eram um emaranhado de terra e umidade, as unhas soltando e sangrando no leito, enquanto ele tentava desesperadamente agarrar-se ao solo e aos arbustos. Os dois estavam sendo arrastados com violência por uma força poderosa através do terreno. Os dedos de Vinci finalmente se desprenderam dos de Lídia.

– Não, Vinci, não... – Lídia ficou soluçando para o que ela imaginava fosse o corpo de Vinci sendo levado.

Os gritos dele, de horror e dor, despertaram-na. O horror brotou novamente em seus olhos, ela tapou os ouvidos, tentando afastar aqueles gritos, mas eles já estavam cravados em seu cérebro. Agarrou-se ao próprio corpo, como uma criança assustada, batendo contra a cabeça em total desespero. Da mata ela ouviu um silvo, um grito, um sinal de vitória? O som recobrou sua lucidez. Enxugou as lágrimas, olhou em torno e estava só agora, Vinci se fora.

Começou a movimentar-se na direção do carro, sua perna ferida doía muito, ela avançava com dificuldade. O som, o silvo veio da sua direita. Quase que instantaneamente da sua esquerda. *Como poderia?* Olhou à frente, seus pés tinham desaparecido na neblina que chegava aos seus joelhos. Ela apressou-se. O carro estava longe demais, os dois tinham se afastado muito quando foram até a árvore, duzentos, talvez trezentos metros a separavam da segurança do Ford. Lídia pôs-se a correr o mais que pôde.

A coisa pulou sobre ela, agarrando-a na coxa, a mesma garra mumificada, as mesmas unhas afiadas cravando-lhe a carne. Ela caiu, gritando, começou a debater-se, se agarrando ao que podia. A garra fechava-se cada vez mais sobre sua perna, um filete de sangue brotava de cada ponto onde as unhas a atingiam, e com a força de uma prensa, pareciam esmagar-lhe os nervos. Com a outra perna e um dos braços, ela esmurrava, batia contra aquela garra. Aos poucos sentiu seu corpo começar a ser arrastado na direção contrária ao carro, estava sendo levada pelo terreno. Agarrou sua arma, por um instante esquecera-se dela, apontou na direção da garra. Seus olhos quase podiam adivinhar os caninos enormes à sua espera. Mirou para a garra que se prendia à sua perna e disparou. Um uivo seguiu-se ao disparo e a coisa afrouxou sua força e soltou-a.

Lídia pôs-se novamente em pé e começou a correr com dificuldade. Sentia que algo estava quebrado, pois um de seus pés pendia num ângulo estranho em relação ao corpo. Arrastava-se mais do que conseguia correr. Ainda gemendo, ignorou a própria dor e avançou como pôde. Seus olhos estavam turvados de dor e lágrimas, o horror atrapalhava seus pensamentos, corria sabendo que logo atrás a coisa deveria estar vindo sobre ela, não ousou olhar para trás.

"Muito bem, meu bem, esta é a maratona da Cidade, lembra-se de como você se divertia vendo aqueles idiotas desmaiando nas ruas? Pois bem, nenê, agora é a sua maratona", pensou Lídia, mordendo os próprios lábios para conter a dor. Atrás dela a coisa começava a rastejar, rápida, avançando por sobre o terreno como um réptil, olhos vermelhos, bocarra escancarada.

"Fissh" "Fissh" "Fissh" "Fissh" "Fissh" "Fissh".

O som de uma chaleira aquecida ou de uma pequena locomotiva ganhando velocidade.

"Corre, garota, corre, a fita está bem ali, só alguns metros e você ganha, garota."

Lídia continuava avançando na direção do Ford. Foi ao chão uma vez sob o peso da dor e da perna ferida; caiu a tempo de ver o par de olhos avermelhados que avançavam rápidos por entre a neblina, olhos com luz própria. Ergueu-se e correu ainda mais. Foi disparando sua arma para trás, aleatoriamente. Quando esta deixou de responder, atirou-a contra o que vinha em sua direção, precisava apenas atrasar-lhe o avanço.

Finalmente, alcançou o carro, atirou-se no interior do Ford, parte do corpo dentro, parte fora, a perna ferida parecia não mais responder aos seus comandos, estava adormecida, insensível e paralisada; agarrou-a com as duas mãos e moveu a própria perna para dentro do carro como um peso morto. A dor atingiu-a novamente de modo lancinante, fazendo sua vista turvar e quase provocou a perda da consciência.

Logo atrás, enquanto Lídia lutava para fechar-se no interior do carro, a menos de dois metros, o bafo quente da fera fazia rolos no ar. *Um metro!* E Lídia ainda lutava com a própria dor e a perna machucada teimando em não cooperar. Não ia conseguir, por um instante pensou em abandonar-se, mas foi exatamente a força terrível daquela criatura que a despertou. A garra atingiu-a de raspão, o suficiente para rasgar-lhe a carne de forma profunda. Lídia arrastou-se e pulou para o interior do Ford, correu os dedos pelas portas, certificando-se que estavam travadas. Depois olhou para a própria perna, sentia o sangue escorrer quente e escuro de suas coxas, fora atingida profundamente.

A fera saltou sobre o vidro, a bocarra, os dentes e a língua pendente. Outra se acercou do vidro lateral e outra ainda por sobre o carro. Olhos flamejantes, diabólicos, pareciam divertir-se com aquela situação.

Lídia olhou para a própria perna, onde o sangue fluía, quente e gostoso; pensou naquilo como um êxtase inexplicável, exceto pela proximidade da morte. Uma onda de prazer pareceu percorrê-la, embora fosse seu próprio sangue que estivesse aquecendo-a por baixo. Sentiu-se excitada, estava exausta para lutar, escorregou a cabeça de encontro ao banco e fechou os olhos. Nada mais poderia fazer. Observou o corte na perna ainda uma vez, pensou se o dia demoraria a nascer. Depois, relaxou. Ela já não se importava mais.

Lá fora, olhos diabólicos e injetados espreitavam, esperando pacientemente. A besta não tinha pressa, pois sabia que aqui neste atalho a noite é sempre um pouco mais longa... Eterna!

Este livro foi impresso em papel offset 75g em tipologia Adobe Caslon Pro, corpo 11,5.
Tiragem de 1000 exemplares.